D1189441

Duel au vieux port

SÉRIE **FOOT 2 RUE**

DANS LA BIBLIOTHÈQUE VERTE

Foot 2 Rue n° 1 :
Duel au vieux port

Foot 2 Rue n° 2 :
Goal surprise

© Hachette Livre, 2006, pour la présente édition.
Novélisation : Michel Leydier.
Conception graphique du roman : François Hacker.

Hachette Livre, 43, quai de Grenelle, 75015 Paris.

Duel au vieux port

HACHETTE

[Port-Marie]

Port-Marie est située sur les rives de la Méditerranée. De partout, on y voit la mer et des versants de montagne aride baignés de lumière.

L'Institut Riffler est une vieille école de Port-Marie, fondée autrefois par le comte Riffler.

La directrice de l'Institut, **mademoiselle Adélaïde**, est sévère mais juste, comme souvent les directrices.

Chrono est le gardien de l'Institut. C'est un véritable pilier de l'école, car il sait écouter les enfants.

Aujourd'hui, cette école privée abrite les membres d'une équipe de foot de rue, baptisée les Bleus de Riffler, qui est en passe de marquer l'histoire de ce sport.

Tag en est le leader. Il joue comme un dieu et fait craquer les filles (ouah ! les yeux verts !). Tag est orphelin.

Gabriel est le meilleur ami de Tag. Son père vit en Afrique, sa mère en Asie. Tout comme Tag, il est pensionnaire à l'Institut Riffler, et c'est aussi un as du ballon rond.

Toni fait un gardien de but correct, sans plus, mais il se prend un peu trop au sérieux. Sa spécialité : agacer les autres !

Tek et No, au contraire, sont toujours prêts à rendre service. Frères jumeaux, aînés d'une famille nombreuse, ce sont des passionnés de foot et des buteurs nés.

Éloïse est l'héritière de la dynastie Riffler, la descendante du comte. Elle a du tempérament et n'est pas maladroite avec un ballon. Qui a dit que le foot de rue était un sport réservé aux garçons ?

[À la découverte du foot de rue]

Les règles

Amitié, respect, solidarité, sont les principales valeurs du foot de rue. C'est un mode de vie autant qu'un sport.

Les règles du foot de rue sont celles du football classique, avec beaucoup de libertés et de souplesse en plus. Par exemple, le tirage de maillot est autorisé et l'obstruction n'existe pas, pas plus que le hors-jeu. Le nombre de joueurs par équipe et les dimensions du terrain s'adaptent aux circonstances…

Excepté l'utilisation de la violence, toutes les méthodes sont bonnes pour tromper l'adversaire…

Les équipes

De nombreuses équipes de Port-Marie,
dont les Bleus de Riffler, vont se disputer
la première place tant convoitée de
meilleure équipe de la ville.
Parmi les équipes candidates :
les Fantômes de la Cité,
les Vagabonds du Parc,
les Vampires des Boulevards et
surtout les Requins du Port, dont
le chef emblématique se fait
appeler **Requin**.

Les Bleus de Riffler devront
ensuite affronter des équipes
internationales prestigieuses : les
Dragons de Shanghai, les
Cobras de Calcutta ou encore
les Diablesses du Bronx, une équipe
entièrement féminine emmenée par une
certaine Jane.

Mais les véritables ennemis des Bleus de Riffler ne sont pas leurs adversaires sur le terrain. Le foot de rue a mauvaise réputation auprès d'une partie de la population.

Le maire de Port-Marie, **monsieur Maroni**, ennemi juré du foot de rue, a déclaré la guerre à tous ceux qui le pratiquent !

Quant à la police, elle traque ces sportifs d'un genre nouveau. À lui tout seul, **l'agent Pradet** est un obstacle quotidien à l'épanouissement du foot de rue…

Chapitre 1

Le ballonkigagne

Dans la cour de l'Institut Riffler, on tape dans le ballon à la moindre occasion. Et les meilleurs joueurs ont déjà des supporters assidus. Lorsqu'ils font une démonstration de leurs talents sur la terre ocre de la cour, on se presse pour les encourager.

P'tit Dragon est le plus minot d'entre eux mais pas le moins enthousiaste. Ce bout de garçon, haut comme trois pommes, ne se lasse pas d'admirer ses aînés.

Aujourd'hui, P'tit Dragon saute de joie à chaque coup d'éclat de Tag, son modèle.

— Vas-y, Tag ! T'es le meilleur ! s'écrie-t-il.

Puis il se tourne vers ses camarades spectateurs :

— Il est géant, Tag, pas vrai ?

Un élève qui fait deux fois sa taille lui ébouriffe affectueusement les cheveux :

— Aussi vrai que toi, tu es petit, P'tit Dragon !

Les frangins Tek et No – Tarik et

Nordine de leurs véritables pré-
noms – s'entraînent avec le ballon.
Tête, pied, genou, tête, pied… Un
coup à toi, un coup à moi. Le ballon semble leur obéir au doigt et à
l'œil. Jouer au foot paraît si simple
à les regarder !

Tout chez eux est identique : le
physique, les vêtements, la coupe

de cheveux, jusqu'à leur façon de jouer.

— Ils ne sont pas jumeaux pour rien ! fait remarquer un des supporters.

Puis No fait un centre à Gabriel qui rôde près des buts. Ce dernier s'élance, ses longs cheveux noirs flottant dans les airs, et s'apprête à armer son tir. Entre les deux cartables des TekNo posés en guise de buts, Toni se prépare pour la parade. L'œil rivé au ballon, il sautille sur place en narguant Gabriel :

— Hé ! Tu tires comme une femmelette !

Gabriel ne se laisse pas déconcentrer, il shoote de toutes ses forces. Propulsé comme un boulet de canon, le ballon va s'écraser

dans le ventre de Toni qui en tombe à la renverse sur le cartable de Tek. Tout son contenu se répand par terre.

— Ah non ! s'écrie Tek en se précipitant. Tu es lourd, Toni, quand tu arrêtes un tir, arrête-le correctement !

Tout le monde rit. Sauf Tek, qui remet ses affaires en ordre, et Toni, vexé, qui se relève en rouspétant et s'en prend au ballon.

— Ricanez, bande de rigolos ! On ne peut pas jouer au foot avec un ballon pareil.

Il est vrai que le ballon de Tag ne répond pas exactement aux normes. N'empêche que ce dernier n'apprécie pas du tout la critique de Toni :

— Tu es bien content de le trouver à la récré, mon ballon.

— Et puis c'est le ballonkigagne, pas vrai Tag ? ajoute P'tit Dragon venu défendre son héros.

C'est ainsi qu'il a baptisé le ballon de Tag. Mais Toni le rabroue aussitôt :

— Toi, le minus, on t'a rien demandé !

Le visage de P'tit Dragon se décompose.

À cet instant, à l'autre bout de la cour, Chrono, le gardien de l'Institut Riffler, actionne la cloche. C'est l'heure de la sortie. Une ribambelle d'élèves déboule du bâtiment principal de l'école et se rue vers le portail. Ils traversent la cour dans une clameur joyeuse.

Pas de doute, on est bien à la fin de la semaine ! Une belle pagaille sévit dans la rue encombrée par les voitures des parents d'élèves. La directrice, mademoiselle Adélaïde, observe la scène de son air sévère. Les enfants la saluent un à un en quittant l'Institut.

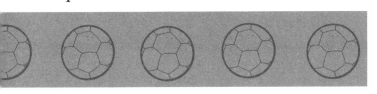

Toni ramasse ses affaires en bougonnant puis lance à ses partenaires :

— Un jour, je vous montrerai à quoi ressemble un vrai ballon de foot !

À son tour, il gagne la grille et grimpe dans une voiture en stationnement. « Vous allez voir à qui vous avez affaire ! se dit-il. Je n'aime pas beaucoup qu'on se moque de moi. Je me vengerai ! Foi de Toni ! »

Chapitre 2

La gaffe !

La cour s'est vidée en un rien de temps. Tag tente de convaincre les frères Tek et No de faire encore un petit match, mais ces derniers déclinent la proposition.

— Désolés ! Pas aujourd'hui, déclarent-ils en chœur. Nos parents viennent nous chercher. Pour une fois qu'ils ont le temps

de nous prendre le dimanche…
Allez ! À lundi !

Tag et Gabriel n'ont pas cette chance. Une ombre de tristesse passe sur leurs visages. Tag est orphelin ; quant aux parents de Gabriel, ils habitent bien trop loin pour venir récupérer leur fils chaque semaine. Les deux garçons sont pensionnaires à l'Institut tout au long de l'année.

Il ne reste plus que P'tit Dragon pour leur tenir compagnie. Assis sur les marches du perron, Tag et Gabriel lancent le ballon au jeune garçon qui s'entraîne à le leur renvoyer du pied. Il est très fier de travailler ses passes avec des joueurs de cette trempe.

— Quand je serai grand, j'aurai

un ballonkigagne comme toi, Tag !
Et je resterai ici tous les dimanches,
comme ça on pourra faire des parties, pas vrai Tag ?

Madame Wong, la maman de
P'tit Dragon, prof de musique à
l'Institut Riffler, apparaît sur le
perron les bras chargés. Elle jongle
avec ses partitions, son étui à violon, son cartable, celui de son

fils… Mais l'occasion est trop belle pour P'tit Dragon d'épater sa maman. Il demande à Tag de lancer le ballon très haut dans le ciel, puis il attire l'attention de sa mère.

— Regarde M'man !

Il se positionne à la chute du ballon et… boooum !

P'tit Dragon se retrouve les fesses par terre, un peu sonné, mais heureux : il a tenu bon ! Grand sourire. Bientôt, son crâne sera aussi dur que celui de Tag et il ne s'écroulera plus sous le choc.

Il se relève et gravit les marches du perron pour rejoindre sa mère, qui l'attend en compagnie de mademoiselle Adélaïde. Madame Wong le félicite, très fière de lui, tandis que la directrice passe sa

main dans les cheveux du petit garçon.

— Ne travaillez pas trop tous
les deux ! dit-elle. Demain, c'est
dimanche pour tout le monde.

Mais P'tit Dragon n'a pas envie
de partir.

— Maman, demande-t-il, je peux
rester avec Tag ?

Madame Wong ne l'entend pas ainsi ; elle prend son fils par la main, salue la directrice et traverse la cour.

— C'est pas juste ! Pourquoi Tag et Gabriel ont le droit de rester à l'Institut et pas moi ? insiste-t-il.

— Parce que les parents de Gabriel travaillent très loin d'ici, tu le sais bien.

Tandis qu'ils arrivent à hauteur de la grille, Chrono les salue d'un sourire amical.

— Et Tag ? interroge P'tit Dragon. Pourquoi lui, il peut rester même pendant les vacances ?

Madame Wong s'arrête. Elle pose ses affaires au sol et regarde son fils droit dans les yeux.

— Tag, c'est différent. Il n'a ni

papa ni maman. Il est obligé de rester ici…

— Mais moi non plus, je n'ai pas de papa. Alors, je peux rester avec Tag, hein maman ?

Chrono, qui n'a pas perdu une miette de la conversation, s'approche et déclare avec bienveillance au petit garçon :

— Non. Tu vas rentrer chez toi

avec ta maman, parce que c'est la plus jolie et la plus gentille de toutes les mamans du monde. Et même que tu vas l'aider à porter ses affaires, d'accord ?

P'tit Dragon retrouve le sourire et empoigne l'étui à violon de sa mère. Une accolade et revoilà madame Wong et son fils en route, main dans la main.

Cette fois, Tag et Gabriel sont les derniers enfants à rester encore dans l'Institut. Des marches du perron, ils regardent P'tit Dragon et sa mère s'éloigner dans la rue. Gabriel est un peu triste.

— Il a de la chance, P'tit Dragon.

— Pourquoi ? demande Tag surpris. On est bien ici.

— C'est pas la question... Il a une chouette maman, quand même...

Soudain, une voix dans leur dos les fait sursauter.

— Eh bien ! Qu'attendez-vous pour faire une de vos fameuses parties de foot, tous les deux ? Vous avez toute la cour pour vous tout seuls, profitez-en !

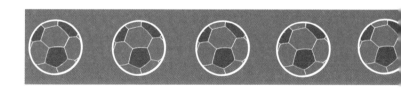

— Oui M'dame, tout de suite, font les garçons en se relevant.

Puis la directrice ajoute pour elle-même : « Les pauvres petits, c'est pas drôle pour eux. »

Au même moment, Chrono referme les grilles de l'Institut Riffler. Il revient vers le perron accompagné de deux garçons lestés de leurs sacs et traînant des pieds, l'air abattu.

— Les TekNo ! s'exclame Tag avec un immense sourire. Vous êtes revenus !

— C'est pas un cadeau d'être les aînés d'une famille de dix enfants, répond tristement Tek.

— Nos parents nous ont encore oubliés ! ajoute No sur le même ton.

— Super ! s'écrie Tag. Enfin, je suis désolé que vos parents ne soient pas venus…

La gaffe ! Mais Tag est tellement heureux de voir de tels partenaires de retour. Difficile de dissimuler sa joie.

Très vite, le sourire revient sur le visage des jumeaux.

— Ça vous dirait de faire un foot ? demande Gabriel.

Chapitre 3

Des tireurs d'élite

Toni habite un petit immeuble, résidence des Oliviers. Aussitôt rentré de l'école, il a revêtu la tenue de son club préféré. Maillot ample, short long, gants de pro et chaussettes hautes, le tout assorti dans les tons verts. Il descend de chez lui et commence à dribbler avec son superbe ballon, ignorant ouvertement deux petits voisins beaucoup plus jeunes, un garçon et une fille, qui s'amusent sur l'esplanade.

— Dis Toni, c'est vrai qu'il est dédicacé, ton ballon ? demande la petite fille très impressionnée.

— Évidemment, c'est le ballon de la coupe du Monde ! répond Toni avec un air supérieur.

— Fais voir, dit le petit garçon.

— Tu vois pas que je m'entraîne, là ?

Toni reprend son échauffement mais la petite fille n'a pas dit son dernier mot.

— Et Zidane, il a signé ? demande-t-elle.

— Puisque je te dis que c'est le ballon de la coupe du Monde, rétorque Toni, prêt à mordre.

Il écarte alors son ballon derrière lui, à bout de bras, de peur que ces gamins ne l'abîment du regard, quand une main le lui subtilise en un éclair. Toni se retourne brusquement. Un garçon d'une quinzaine d'années lui fait face, un adolescent hyper costaud qui le défie du regard. Derrière lui, un

petit excité qui n'a pas l'air plus commode. Toni tremble.

— Mais c'est qu'il a raison, fait le grand. Il y a bien la signature de Zidane. Regarde ça, Cartoon !

Il lance le ballon au petit qui s'en saisit. Toni a bien essayé de l'intercepter mais sans succès.

— Hé les gars ! Rendez-moi mon ballon ! râle-t-il.

— Tu as vu juste, Coud'Boule, commente Cartoon, y a bien Zidane !

Et il renvoie le ballon à son copain. Coud'Boule et Cartoon se font ainsi quelques passes pour faire enrager Toni. Un coup au-dessus, un coup derrière, un coup au-dessous… Toni lève les bras, se baisse, se retourne, bondit sur l'un, puis sur l'autre… Il n'en peut plus.

— Mais c'est mon ballon ! s'exclame-t-il désespéré et à bout de souffle.

— C'était ! rectifie Coud'Boule avant de s'éloigner tout en continuant les passes avec son complice.

Les deux jeunes voisins de Toni ont tout vu. Compatissant, le petit garçon se lamente :

— Ils t'ont pris ton ballon !

Et la petite fille d'ajouter :

— Dis Toni, tu ne vas pas les laisser faire !

Bien sûr que non. Toni serre les poings et se lance à la poursuite des voleurs. Il ne tarde pas à les rattraper.

Aussi curieux qu'inquiets, le petit garçon et la petite fille lui ont emboîté le pas. À présent, ils observent à distance la suite de la dispute, encourageant Toni par la pensée.

Au pied d'un immeuble de la résidence des Oliviers, Toni est en grande conversation avec Coud'boule et Cartoon. Ces derniers ne semblent pas disposés à lui rendre son ballon. Cependant, on dirait qu'on est en train de trouver un terrain d'entente… Coud'Boule soulève Toni par le col et lui récapitule le marché :

— Demain à deux heures précises derrière le hangar du port. C'est compris ? Tu devrais être content, je te donne une chance de récupérer ton ballon !

— Merci Coud'Boule, bafouille Toni.

— Pas sûr que demain tu aies envie de me remercier, parce que ça sera un duel à mort !

La menace fait frémir Toni. Un

duel à mort ! Qu'est-ce que cela peut bien vouloir dire ?

Coud'Boule fait signe à Cartoon d'exposer les règles du jeu à ce joufflu de Toni.

— J't'explique, fait Cartoon en sautillant. Série de trois tirs au but : tchac ! tchac ! et tchac ! Vu ?... Deux joueurs en attaque : paf ! et

paf ! Vu ?... Un seul homme dans les buts : zdoïng ! Vu ?... En cas d'égalité, on remet ça jusqu'à ce que… crac ! Un mort ! Vu ?...

Toni avale sa salive péniblement, il est pétrifié.

— Vvwvu ! parvient-il à articuler.

Tandis que Cartoon et Coud'Boule s'éloignent avec le ballon en ricanant, le petit garçon et la petite fille accourent auprès de Toni, qui retrouve aussitôt un peu d'assurance. Lentement, il met au point sa stratégie :

— Pour les buts, pas de problème, je suis là. Mais pour l'attaque, il me faut les meilleurs. Des vrais tireurs d'élite ! Sinon, adieu mon ballon de la coupe du Monde !

Soudain, l'étincelle :

— Mais bien sûr : les frères TekNo ! Y en a pas de meilleurs !

D'un pas décidé, il repart en direction de chez lui.

— Tu as entendu ? dit le petit garçon à la petite fille. On dirait que ça va chauffer demain !

— T'as raison, répond-elle. Va même y avoir des tireurs d'élite !

Chapitre 4

Alerte rouge

Au repas du soir, à l'Institut Riffler, le calme règne.

Gabriel, les TekNo et Tag, qu'on voit rarement sans son ballon, ont mangé bien sagement dans le réfectoire. Chrono les a abandonnés un instant, leur laissant le soin de débarrasser. Mais la tentation est grande de se livrer en son absence à quelques passes périlleuses. Coups de pied, coups de tête, amortis de la poitrine, le ballon tourne entre les quatre as de l'Institut Riffler, évitant la vaisselle et le mobilier.

Utilisant la diagonale de la salle, Tag fait une longue et haute passe à Tek. Mais ce dernier est trompé par un curieux rebond au plafond. Le ballon vient heurter violemment le casier en plastique qu'il tenait dans ses mains. Tous les verres qui s'y trouvaient s'envolent. Malheur !

Afin d'éviter la casse, Tek se jette à l'horizontale sur une table, sans quitter les verres des yeux. Le casier maintenu sur son ventre, il effectue une glissade sur le dos.

Comme par magie, les verres retombent un à un dans leur logement...

Par la porte vitrée du réfectoire, Chrono a assisté au sauvetage. Il en reste bouche bée. « Ils sont vraiment doués... » pense-t-il en ouvrant la porte. Sans doute devrait-il les gronder, mais il s'abstient de tout commentaire.

— Vous avez débarrassé les tables? demande-t-il, l'air de rien.

Les quatre garçons sortent du réfectoire sous son nez :

— Oui M'sieur ! dit Gabriel.

— Tout est nickel, renchérit Tag.

— Tout beau, ajoute Tek.

— Tout propre ! conclut No.

Plus tard ce soir-là, une fois la

nuit tombée, les garçons commentent leurs exploits dans leur dortoir du deuxième étage.

— Le coup des verres, dit No, c'était carrément géant ! On remet ça demain, les gars ?

— Demain, vous ne serez pas là, répond Gabriel. Vos parents vont venir vous chercher.

— Tu parles ! Je te parie qu'ils ne viendront pas, dit Tek. Ça ne sera jamais que le quatrième dimanche d'affilée qu'on passe ici…

Tag est allongé sur son lit. Il joue avec son ballon. La discussion ne le concerne pas. Gabriel, lui, a une pensée pour les siens :

— Moi, mes parents, je les vois que pendant les vacances, et

encore, pas toutes !... Ma mère en
Afrique, mon père en Asie... Difficile de faire plus compliqué !

Soudain Tag se redresse :

— Ma mère est loin, Mes parents
nous oublient... Arrêtez de pleur-
nicher, les gars ! Vous voulez que
je vous dise ? Moi, je me dé-
brouille très bien tout seul !
Comme ça au moins...

Un bruit l'interrompt !

Dans le même élan, les quatre visages se tournent vers la porte du dortoir. Très lentement, la poignée tourne sur elle-même.

— Alerte rouge ! lance Tag en éteignant la lumière.

Et les quatre garçons plongent sous leurs couvertures respectives.

La porte s'ouvre tout doucement. Une ombre apparaît dans l'encadrement.

Les pensionnaires font semblant de dormir.

— Pssst ! entend-on.

Tag entrouvre un œil puis braque sa lampe de poche sur la porte :

— Toni ! Qu'est-ce que tu fais là?

Fin de l'alerte.

Rassurés, les quatre copains se relèvent pour accueillir leur goal et refermer la porte.

— Tu es fou ! s'écrie Gabriel. On a cru que c'était la Zelle !

— C'est bien plus grave que ça, répond Toni.

— Y a rien de plus grave que la Zelle Adélaïde, proteste Tek.

Tag a hâte de connaître la raison de cette visite nocturne :

— Alors, presse-t-il Toni, raconte !

Le visiteur commence à relater sa rencontre avec Coud'Boule et Cartoon mais il est, hélas, vite interrompu...

Il fait sombre ce soir et le vent s'est levé. Toni a manqué de prudence. Il s'est introduit dans l'enceinte de l'école par une sorte de soupirail. N'ayant pas pris soin de bien refermer ce dernier, une rafale le fait soudain claquer violemment. Le bruit résonne dans tout l'Institut.

Dans la chambre de mademoiselle Adélaïde, la lumière s'allume aussitôt. Intriguée, la directrice entreprend une ronde silencieuse dans le bâtiment. Le faisceau de sa lampe torche balaie le hall, puis l'escalier qui dessert les dortoirs. Arrivée devant celui des garçons, elle éteint sa lampe et pose la main sur la poignée…

Chapitre 5

Contretemps

Cette fois encore, Tag et ses amis ont anticipé le danger. Lorsque la porte s'ouvre sur la directrice de l'Institut, le calme et l'obscurité règnent dans la chambre. Mademoiselle Adélaïde rallume sa lampe torche et promène alternativement son faisceau sur les quatre garçons sagement allongés dans leur lit.

Perplexe, après quelques secondes d'hésitation, elle hausse les épaules et retourne se coucher.

— C'est bon, chuchote Tag. On peut se relever.

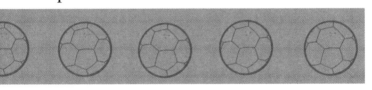

Chacun sort en vitesse de son lit. Quant à Toni, il s'extrait difficilement de dessous un sommier. Son récit peut reprendre…

Il en était resté au défi lancé par Coud'Boule et Cartoon pour récupérer son ballon : le fameux duel à mort dans le hangar du port ! Tout de suite, il a pensé aux

TekNo, bien sûr. Alors il a télé-
phoné chez eux, mais leur mère l'a
informé qu'ils passaient finale-
ment la nuit à l'Institut. D'où sa
venue ce soir.

— Alors, vous en pensez quoi ?
demande-t-il.

— Il n'y a pas cinquante solu-
tions, dit Tag. Les TekNo sont les
meilleurs attaquants.

Puis, se tournant vers les intéres-
sés :

— Il faut que vous soyez au port
demain à deux heures. Sinon…

Aucune objection des jumeaux.

Toni est rassuré, mais quelque
chose d'autre le préoccupe à présent : comment va-t-il sortir de
l'Institut ?

— Pas question de repasser

devant la chambre de la directrice, dit-il. Je vais me faire pincer.

— Tu n'as qu'à sortir par la fenêtre ! suggère Tag en souriant.

— Tu es fou ! Y a deux étages ! rétorque Toni, blanc de peur.

— T'inquiète, on va pas te laisser tomber…

Déjà, Tag et ses copains ont

retiré les draps de leurs lits. Ils commencent à les nouer bout à bout afin de fabriquer une longue corde…

Le lendemain, peu avant quatorze heures, dans la cour de l'Institut, Tag donne ses dernières consignes aux TekNo.

— Il faut y aller, dit-il. Le rendez-vous est dans dix minutes.

Les jumeaux semblent inquiets.

— On vous couvrira, dit Gabriel.

— S'il y a un problème, renchérit Tag, on dira qu'on fait une partie de cache-cache, et que c'est à notre tour de vous chercher.

Tek et No ne sont qu'à demi convaincus. Ils grimacent en chœur.

— Je le sens pas, dit No.

— Tout va bien se passer, insiste Gabriel. Allez ! c'est l'heure, vous devez partir maintenant.

Pas très rassurés, les deux frères s'apprêtent à se mettre en route quand tout à coup :

— Les jumeaux !

C'est mademoiselle Adélaïde qui les interpelle depuis le perron. Elle n'est pas seule : autour d'elle, une ribambelle de petits enfants se tenant par la main.

— Surprise ! Vos parents sont passés déposer quelques-uns de vos frères et sœurs. Ils ont pensé que ça vous ferait plaisir de jouer ensemble. Bonne idée, n'est-ce pas ?

— Oui, Mam'zelle Adélaïde, répondent-ils l'air abattu.

Le ciel leur tombe sur la tête. Les voilà coincés à l'école à jouer les baby-sitters. Adieu le match du port !

D'un pas fatigué, ils se dirigent vers le perron où les attendent leurs frères et sœurs. En passant devant Tag, No siffle entre ses dents :

— Je t'avais dit que je le sentais pas…

Mais Tag a déjà la tête ailleurs.

— C'est toi le cerveau, dit-il à Gabriel. Il nous faut un plan de secours. T'as pas une idée ?

Pendant ce temps, à l'autre bout de la ville, Toni est aux cent coups. Il scrute les quais du vieux port dans l'espoir de voir débouler les TekNo.

Derrière lui, l'air narquois, Coud'Boule et Cartoon savourent la situation.

— Alors, dit Coud'Boule, tu déclares forfait ? Tes copains ont eu la trouille !

— Non, dit Toni, ils vont venir, je te le jure.

Coud'Boule fait rebondir sur le sol le ballon de Toni, enjeu du match du jour. Tout autour d'eux s'élèvent les murs en ruine de ce qui fut un jour un hangar. Aujourd'hui, le bâtiment ressemble plutôt à une carcasse de bateau retournée. On y voit comme en plein jour.

Le port est désert. Mais bientôt,

au détour d'un autre hangar fantôme, deux silhouettes font leur apparition.

— Je vous l'avais dit qu'ils viendraient, lance Toni qui retrouve soudain espoir.

Pourtant, au fur et à mesure que le duo approche, son sourire s'efface, son visage s'assombrit.

— C'est eux, tes génies ? ironise Coud'Boule en éclatant de rire avec Cartoon.

Chapitre 6

Le duel

— Mais où sont les TekNo ? demande Toni affolé.

— Un empêchement de dernière minute, répond Tag. Gabriel et moi, nous les remplacerons.

Puis il se tourne vers Coud' boule :

— Alors, c'est toi qui fais du racket ? demande-t-il.

Coud'Boule n'apprécie pas beaucoup cette manière de saluer les gens. Il saute du bidon métallique sur lequel il était assis et s'apprête à répondre à l'attaque de Tag. Mais une voix venue de nulle part lui cloue le bec :

—J'ai bien entendu ? Des membres de mon équipe, les Requins du Port, se livreraient à du racket ?

Coud'Boule et Cartoon sont tétanisés. Leur chef, Requin en personne, vient d'apparaître dans le hangar, encadré par deux comparses. Il les regarde d'un air mauvais. Ses dents pointues semblent prêtes à mordre.

— Non… C'est pas ce que tu crois, Requin, bafouille Coud'boule. Je t'assure que…

Agacé, Requin lui arrache le ballon des mains.

— À qui est-ce ? demande-t-il.

Toni lève timidement la main.

— Et vous deux, dit Requin à Tag et à Gabriel, pourquoi êtes-vous là ?

— Pour le duel ! répond Tag avec assurance.

— Le duel ? interroge Requin en fronçant les sourcils. Quel duel ?

Coud'Boule et Cartoon tremblent comme deux gamins pris la main dans le sac. Requin n'aime pas que l'on porte atteinte à la réputation de sa bande. Après les avoir fusillés du regard, il se tourne vers les trois jeunes joueurs de l'Institut Riffler et dit :

— Vous n'êtes pas obligés d'accepter, vous savez…

Mais Tag et Gabriel sont parfaitement détendus. Ils échangent un clin d'œil complice ; leur fierté est en jeu. Pas question de se dégonfler.

— C'est qu'une partie de foot, les gars ! lâche Tag. Pas de quoi avoir peur… On va le faire, votre duel, mais pour le sport. Le ballon, on s'en fiche !

— Quoi ? intervient Toni médusé.

Requin ne tient pas compte de cette objection. Le duel aura lieu et il attribue la première attaque à l'équipe Coud'Boule. Pour délimiter les buts, ses acolytes installent deux bidons, entre lesquels Toni se positionne. À l'autre bout du hangar, Coud'Boule et Cartoon se lancent dans sa direction, balle au pied.

Les passes se succèdent alors qu'ils prennent de la vitesse. En approchant des buts, Cartoon adresse à Coud'Boule un centre aérien. D'un coup de tête imparable, ce dernier propulse le ballon entre les bidons. Toni plonge mais il ne peut que constater les dégâts. 1-0 !

Coud'Boule s'approche de lui et lance, l'air menaçant :

— Tu comprends pourquoi on m'appelle Coud'Boule maintenant ?

Il éclate de rire et Cartoon prend la place de Toni entre les buts pour l'attaque adverse.

Après avoir demandé son nom à Tag, Requin annonce :

— Équipe Tag, première attaque !

Gabriel et Tag ont regagné
l'extrémité du hangar et ils peu-
vent déclencher leur offensive.
Après quelques passes, Gabriel
jette un œil en direction de la char-
pente métallique qui recouvre le
terrain de foot improvisé.

— Seconde moitié de la cinquième poutre transversale, lance-t-il à son coéquipier.

Tag hoche la tête et shoote. Le ballon s'envole et va heurter l'arête de la poutre indiquée par Gabriel. Série de rebonds hyper rapides, comme au flipper. Sous le regard perdu de Cartoon – ça va beaucoup trop vite pour lui – Gabriel se positionne à la réception. En extension, il effectue un retourné magistral et le ballon transperce les buts. Cartoon n'a pas bougé d'un poil. 1-1 !

— Et moi, je m'appelle Gabriel, dit le buteur. Mais on m'appelle parfois Diskedur. Tu imprimes ?

Requin et les siens apprécient la technique des joueurs de Riffler. Ils semblent même assez surpris.

Tag s'approche de Toni et lui glisse dans l'oreille :

— Fais gaffe ! Le prochain coup, ils vont essayer de t'embrouiller en changeant de tireur.

Puis il va s'asseoir à côté de Requin quand celui-ci annonce :

— Équipe Coud'Boule, deuxième attaque !

Toni observe attentivement le

duo d'attaquants foncer sur lui. Le schéma tactique n'a pas varié. Les passes se succèdent jusqu'au centre de Cartoon, mais, comme l'a pressenti Tag, Coud'Boule remet en jeu et c'est Cartoon qui tente sa chance de la tête. Toni n'a qu'à tendre le bras pour bloquer le ballon. Une fierté arrogante se lit sur son visage.

Requin se tourne vers Tag :
— Tu avais deviné ?
Tag acquiesce d'un léger sourire. Requin est décidemment très impressionné. Ce n'est pas tous les

jours qu'il croise des joueurs de ce niveau. Il lance la deuxième attaque pour Tag et Gabriel lorsqu'une sirène tonitruante retentit dans le vieux port.

— 22, v'là les flics ! s'écrie-t-il.

Secret et solidarité...

Les Requins du Port et Toni ont eu le temps de fuir. En revanche, Tag et Gabriel, qui avaient cherché à se cacher au fond du hangar, se retrouvent coincés. Une voiture de police leur barre la route. L'agent Pradet en descend et s'exclame, furieux :

— Qu'est-ce que vous faites là,
tous les deux ? Vous ne savez pas
lire ?

Il désigne un panneau sur le
quai interdisant l'accès aux bâti-
ments en ruine.

Tag bafouille qu'il ne savait pas.
Pas fait attention. Le policier les
observe d'un peu plus près ; ces

visages ne lui disent absolument rien.

— Vous n'êtes pas du quartier, vous ?

Tag et Gabriel secouent la tête de droite à gauche.

— Où sont passés les autres ? demande Pradet. Toute cette bande qui traîne toujours dans le vieux port ?

— Y a que nous ici, M'sieur, répond Gabriel en prenant un air innocent.

L'homme en uniforme n'est pas convaincu. Néanmoins, il leur fait signe de déguerpir.

— Allez, circulez ! Et n'oubliez pas : je ne veux plus vous voir ici, compris ?

Sous le regard suspicieux de

l'agent Pradet, les deux joueurs de Riffler ramassent le ballon de Toni et détalent sans demander leur reste. Ouf ! Ils ont eu chaud !

— Faudra que je les aie à l'œil, ceux-là aussi, marmonne le policier dans sa moustache.

Quelques minutes plus tard, Tag et son ami remontent une ruelle de la vieille ville. À un croisement, ils tombent nez à nez avec les Requins du Port et Toni.

Requin arrache le ballon des mains de Tag et le fait rebondir plusieurs fois sur le sol. Toni frémit.

— Le duel n'est pas terminé, déclare Requin de manière solennelle, mais vous avez prouvé que

vous avez la « mentale », tous les deux.

Échange de regards étonnés entre Tag et Gabriel.

— La mentale ?

— Oui, la mentale du foot de rue, précise Requin. Secret et solidarité, quoi.

— Le foot de rue ? interroge Tag. Qu'est-ce que c'est ?

— Écoute Tag, j'ai une proposition à te faire. Tu réunis une équipe formée d'un goal et de quatre joueurs, et on se retrouve pour un vrai match de foot de rue, cette fois.

Sans attendre de réponse, Requin colle le ballon dans les mains de Toni qui retrouve le sourire.

— Reprends ton ballon, toi ! dit-il. Il n'y a pas de racketteur dans le foot de rue !

Puis il se tourne vers Coud'Boule et Cartoon :

— Pas vrai, vous deux ?

Le chef a parlé et nul ne le contredira.

— Alors Tag, c'est d'accord ?

Tag fait les comptes à voix haute :

— Gabriel et moi, les frères TekNo, ça fait quatre…

— Et moi dans les buts ! coupe Toni.

— C'est bon, conclut Tag, on tient notre équipe !

Requin cogne son poing contre celui de Tag pour sceller l'accord.

— Mardi, cinq heures... place Pietraccia ! Pour un vrai match de foot de rue !

Le lendemain matin, les mordus du ballon rond se rassemblent dans la cour de l'Institut Riffler. On complote en attendant la sonnerie. Secret d'État !

— Le foot de rue ! s'exclame Tek.

— Qu'est-ce que c'est ? demande No.

— Franchement, j'en sais rien, répond Tag. « Secret et solidarité », c'est tout ce que j'ai compris.

— On sait aussi deux choses, ajoute Gabriel, c'est qu'il faut y être demain à cinq heures, et que les Requins du Port savent jouer au foot !

Toni se joint au groupe en brandissant fièrement son beau ballon.

— Regardez ce que j'ai apporté ! fanfaronne-t-il. Pour un vrai match, il faut un vrai ballon !

Tag hausse les épaules, excédé :

— Y en a marre de ton ballon, Toni ! On jouera avec celui-là ! rétorque-t-il en montrant le sien.

— Avec ça ? demande Toni plein de mépris. Vous êtes dingues ! Mais pourquoi ?

P'tit Dragon, qui avait laissé parler les grands jusque-là, ne peut s'empêcher d'intervenir :

— Parce que c'est le ballonki-gagne, pardi !

— Et que nous, on veut gagner ! reprennent en chœur les quatre joueurs face à Toni ahuri…

— On va gagner ! corrige P'tit Dragon, déjà certain du résultat de son équipe favorite.

Table

CHAQUE PARTIE PORTE SON LOT
DE FRISSONS... AMITIÉ, RESPECT
FOOT DE RUE.

Entre 4 vestes,
2 haies de buissons

Déferle un flot de pression

Chaque partie porte
son lot de frissons

Partage, fair-play, foot de rue

Tous parés pour la compétition

Symbole d'une génération

C'qui nous lie, plaisir et passion

Amitié, respect, foot de rue

AKHENATON

La série *Foot 2 Rue* relaye les valeurs prônées par les Nations unies dans le cadre de l'Année internationale du sport et de l'éducation physique.

Le sport pour la paix et le développement dans le monde

Le sport développe la solidarité et constitue la meilleure école de vie qui soit. Le sport enseigne des valeurs essentielles comme gérer la victoire et surmonter la défaite. Il nous apprend à nous insérer dans un groupe, à respecter nos adversaires et à suivre les règles. En pratiquant un sport, nous développons la persévérance et la discipline ainsi que le courage et la responsabilité dans la prise de risque.

Les Nations unies défendent les vertus du sport et encouragent les champions à servir de modèles pour les générations futures. À travers l'Année internationale du sport et de l'éducation physique (AISEP 2005), les peuples et les gouvernements du monde entier sont encouragés à pleinement utiliser le pouvoir du sport pour construire un monde meilleur.

Chacun est invité à participer à cette Année internationale du sport. Initiez-vous à un sport ou apprenez une nouvelle discipline à vos amis ; investissez-vous dans les clubs de votre ville ou de votre école ; faites-vous des amis en pratiquant un sport ensemble et réalisez combien le sport est indispensable à une vie plus saine et plus équilibrée.

Pour plus d'informations sur l'année du sport, visitez le site www.un.org/sport2005

RETROUVE TE
AUTRES SÉRIE

LE JEUNE SHOBU SERA-T-IL
CAPABLE DE DEVENIR
UN VÉRITABLE MAÎTRE KAIJUDO ?

LA FABULEUSE QUÊTE DE CELUI DONT
LE REGARD PEUT FAIRE FONDRE LE MÉTAL !

LES AVENTURES DU COW-BOY
SOLITAIRE LE PLUS CÉLÈBRE
DE L'OUEST...

KID ET SES POTES :
PAS MOINS DE DOUZE IDÉES
PAR MINUTE... GLUANT !

LA LUTTE SECRÈTE DE CINQ COLLÉGIENS
CONTRE LE VIRUS INFORMATIQUE XANA...

Retrouve la team
de Foot 2 Rue en BD !

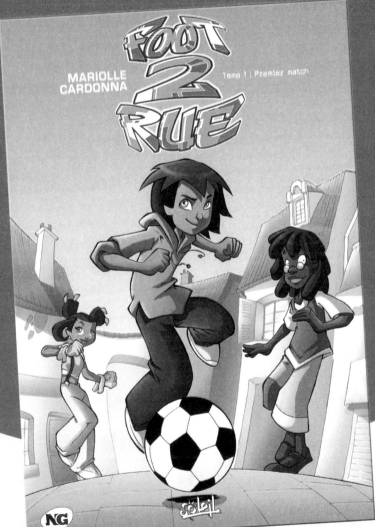